Goal surprise

SÉRIE FOOT 2 RUE

DANS LA BIBLIOTHÈQUE VERTE

Foot 2 Rue n° 1 :
Duel au vieux port

Foot 2 Rue n° 2 :
Goal surprise

© Hachette Livre, 2006, pour la présente édition.
Novélisation : Michel Leydier.
Conception graphique du roman : François Hacker.

Hachette Livre, 43, quai de Grenelle, 75015 Paris.

Goal surprise

HACHETTE

[Port-Marie]

Port-Marie est située sur les rives de la Méditerranée. De partout, on y voit la mer et des versants de montagne aride baignés de lumière.

L'Institut Riffler est une vieille école de Port-Marie, fondée autrefois par le comte Riffler.

La directrice de l'Institut, **mademoiselle Adélaïde**, est sévère mais juste, comme souvent les directrices.

Chrono est le gardien de l'Institut. C'est un véritable pilier de l'école, car il sait écouter les enfants.

Aujourd'hui, cette école privée abrite les membres d'une équipe de foot de rue, baptisée les Bleus de Riffler, qui est en passe de marquer l'histoire de ce sport.

Tag en est le leader. Il joue comme un dieu et fait craquer les filles (ouah ! les yeux verts !). Tag est orphelin.

Gabriel est le meilleur ami de Tag. Son père vit en Afrique, sa mère en Asie. Tout comme Tag, il est pensionnaire à l'Institut Riffler, et c'est aussi un as du ballon rond.

Toni fait un gardien de but correct, sans plus, mais il se prend un peu trop au sérieux. Sa spécialité : agacer les autres !

Tek et No, au contraire, sont toujours prêts à rendre service. Frères jumeaux, aînés d'une famille nombreuse, ce sont des passionnés de foot et des buteurs nés.

Éloïse est l'héritière de la dynastie Riffler, la descendante du comte. Elle a du tempérament et n'est pas maladroite avec un ballon. Qui a dit que le foot de rue était un sport réservé aux garçons ?

[À la découverte du foot de rue]

Les règles

Amitié, respect, solidarité, sont les principales valeurs du foot de rue. C'est un mode de vie autant qu'un sport.

Les règles du foot de rue sont celles du football classique, avec beaucoup de libertés et de souplesse en plus. Par exemple, le tirage de maillot est autorisé et l'obstruction n'existe pas, pas plus que le hors-jeu. Le nombre de joueurs par équipe et les dimensions du terrain s'adaptent aux circonstances...

Excepté l'utilisation de la violence, toutes les méthodes sont bonnes pour tromper l'adversaire...

Les équipes

De nombreuses équipes de Port-Marie,
dont les Bleus de Riffler, vont se disputer
la première place tant convoitée de
meilleure équipe de la ville.
Parmi les équipes candidates :
les Fantômes de la Cité,
les Vagabonds du Parc,
les Vampires des Boulevards et
surtout les Requins du Port, dont
le chef emblématique se fait
appeler **Requin**.

Les Bleus de Riffler devront
ensuite affronter des équipes
internationales prestigieuses : les
Dragons de Shanghai, les
Cobras de Calcutta ou encore
les Diablesses du Bronx, une équipe
entièrement féminine emmenée par une
certaine Jane.

Mais les véritables ennemis des Bleus de Riffler ne sont pas leurs adversaires sur le terrain. Le foot de rue a mauvaise réputation auprès d'une partie de la population.

Le maire de Port-Marie, **monsieur Maroni**, ennemi juré du foot de rue, a déclaré la guerre à tous ceux qui le pratiquent !

Quant à la police, elle traque ces sportifs d'un genre nouveau. À lui tout seul, **l'agent Pradet** est un obstacle quotidien à l'épanouissement du foot de rue...

Chapitre 1

Une fâcheuse coïncidence

Le compte à rebours a commencé. Tag et sa bande ont à peine deux jours devant eux pour préparer leur match de foot de rue contre les Requins du Port.

Pendant que les élèves de l'Institut Riffler sont absorbés par leurs habituels jeux de récréation, Tag,

Gabriel, Toni et les TekNo se concentrent sur leur objectif unique.

Pourtant, au moment de s'y mettre, Toni éprouve le besoin soudain d'asticoter ses copains. En se positionnant devant sa cage virtuelle, délimitée par les deux cartables des TekNo, il commence à imiter les commentateurs sportifs :

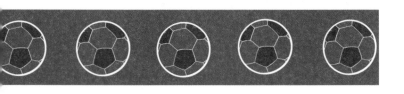

— Et voici Toni, dit « La Pieuvre », qui fait son entrée sur le terrain sous les applaudissements de la foule en délire.

— Quel imbécile ! lâche Gabriel. Il nous fait perdre notre temps.

Lentement, Toni enfile un gant, puis l'autre.

— Allez Toni, dépêche-toi ! s'énerve Tag. Et arrête un peu ton cinéma !

— Du calme, les gars ! s'écrie crânement Toni, c'est jamais que du foot de rue !

— Chut ! coupe Gabriel. T'es vraiment nul !

— Quoi ? Qu'est-ce que j'ai dit ? Furieux, Tag et Gabriel se précipitent vers Toni.

— Et le code d'honneur ! articule Tag à voix basse. Tu en fais quoi ?

Quel code d'honneur ? De quoi parle-t-il ? semble penser Toni.

— « Secret et solidarité » ! précise Gabriel. Ça ne te dit rien ?

— Ah ! J'avais oublié... Bon, on

ne va pas en faire un fromage quand même ! Et je vous signale que c'est vous qui retardez l'entraînement, là. Allez, dépêchez-vous !

Tag et Gabriel haussent les épaules. « Quelle plaie, ce Toni ! » soupire Tag. Mais ce n'est pas le moment de se lamenter sur le caractère de leur goal. Tag envoie le ballon à Tek, qui fait une passe à son frère No. Petit numéro de jonglage de ce dernier qui renvoie à Tek…

On s'échauffe ainsi quelques instants, on court balle au pied, on allonge les passes, on varie les réceptions : amorti de poitrine, contrôle du pied, reprise de volée… Toni reste concentré. Il observe ses partenaires qui, d'un

instant à l'autre, vont tenter de
tromper sa vigilance.

C'est Gabriel qui se lance le premier. Au terme d'une belle course
d'élan, il s'approche des buts et
arme son tir en ouvrant son pied.
Toni mord à l'hameçon et plonge
sur sa gauche. Trop tôt. Gabriel a
retenu sa frappe au dernier
moment, il n'a plus qu'à pousser

tranquillement le ballon de l'autre côté.

Acclamation des supporters rassemblés autour d'eux !

— Alors Toni, demande Tag, je croyais qu'il fallait se dépêcher ?

Vexé, Toni se relève. Du revers de la main, il brosse sa tenue. Cette fois, la répartie ne vient pas. La séance d'entraînement a vraiment commencé…

Le hall du bâtiment principal de l'Institut Riffler a été décoré pour la cérémonie d'anniversaire prévue le lendemain. Des cordelettes ont été tendues d'un mur à l'autre. On y a suspendu des fanions et des lampions multicolores qui donnent une atmosphère de fête.

Au-dessus de l'escalier majestueux qui mène aux étages, le buste du comte Riffler, posé sur une corniche, semble contempler le hall décoré à son intention. Chaque année, l'Institut rend hommage à son fondateur.

À la fin de la récréation, les élèves rentrent bruyamment dans le bâtiment.

— Je crois qu'on a un sérieux problème, les gars, s'inquiète Tek en désignant la statue du menton. Notre match tombe en même temps que l'anniversaire du vieux.

— C'est vrai, ajoute No, comment on va faire pour aller en ville ?

— Justement, répond Tag, c'est notre chance ! Il y aura tellement de monde ici demain, que personne ne remarquera notre absence !

Toujours à traîner dans les jambes de ses aînés, P'tit Dragon, leur plus grand supporter, tire sur la manche de Tag :

— Dis Tag, je pourrais venir avec toi ?

Mais c'est Toni qui répond :

— Encore toi ! Tu vas nous lâcher un peu, moustique ?

Puis, allant se plaquer contre un mur du hall, il ajoute :

— Essaie un peu de me marquer un but, pour voir ! Après, on discutera.

Relevant le défi, P'tit Dragon

arrache le ballon des mains de Tag,
le pose par terre et shoote dedans
de toutes ses forces.

Tag, surpris par la réaction du
petit garçon, a juste eu le temps
de crier :

— Non ! Pas ici… !

Trop tard.

Hélas, P'tit Dragon a privilégié la
puissance au détriment de la pré-

cision. Le ballon cogne le mur bien au-dessus de la cage imaginaire de Toni et ricoche sur le plafond avant d'aller heurter… le buste du comte Riffler !

Fâcheuse coïncidence : mademoiselle Adélaïde est juste en train de descendre le grand escalier.

Chacun retient son souffle. Durant quelques interminables

secondes, le buste oscille sur son socle, pour finalement basculer dans le vide. Dans un terrible fracas, il termine sa chute aux pieds de la directrice, qui reste figée sur place…

Chapitre 2

Le code d'honneur

Malgré la présence de dizaines d'enfants dans le hall, on entendrait une mouche voler. Tous sont muets, pétrifiés, pendus aux lèvres de mademoiselle Adélaïde qui observe d'un air horrifié le buste en mille morceaux.

— Parfait ! déclare-t-elle d'une

voix solennelle. Je veux le nom du responsable !

Toni, craignant sans doute une punition collective, lève la main et s'écrie :

— C'est pas moi, Mademoiselle, je vous jure que j'ai pas touché au ballon !

Murmures de réprobation tout autour de lui.

— Silence ! hurle la directrice.

Elle fait quelques pas en direction de Toni.

— Alors, dit-elle, si ce n'est pas toi, qui est le responsable ?

Toni tremble sous le regard impitoyable de mademoiselle Adélaïde. Tag bouillonne : « Il ne va quand même pas faire accuser un gamin ! » Au même moment, Toni

lève lentement la main et tend un
doigt timide en direction de P'tit
Dragon. Mais, avant que la directrice ait le temps de comprendre,
Tag sort des rangs pour déclarer :

— C'est moi, Mademoiselle !

Gabriel l'imite aussitôt :

— C'est moi, Mademoiselle !

Puis c'est au tour des jumeaux
Tek et No de s'accuser en chœur :

— C'est nous, Mademoiselle !
Soupir de la directrice.

— Bien ! dit-elle, puisque les coupables se sont désignés, voici mes décisions. Premièrement : il est désormais interdit de jouer au foot dans l'enceinte de l'Institut.

Une salve de « Oh ! » s'élève dans le hall.

— Deuxièmement : le ballon de Tag est définitivement confisqué !

— Nooon ! grince l'intéressé entre ses dents.

— Et troisièmement, conclut la directrice après avoir ramassé le ballon : les responsables devront avoir recollé les morceaux du buste du comte Riffler pour... demain matin !

Stupeur des « responsables ».

Mademoiselle Adélaïde fait un geste aux enfants signifiant que l'incident est clos : direction les salles de classe ! Puis elle disparaît dans son bureau dont elle claque la porte.

Toni se précipite vers ses amis :

— Vous avez vu, les gars ! J'ai rien dit ce coup-ci !

— Tu as trahi le code d'honneur ! lui lance Tag, fâché.

— C'est pas vrai ! proteste Toni.

— Il n'y a pas que « secret » dans le code, explique Gabriel, tout aussi tranchant. Il y a aussi « solidarité » ! Mais on dirait que tu ne sais pas ce que ça veut dire.

La nuit est tombée sur l'Institut. Une seule lumière brille encore : celle du bureau de la directrice. Elle est en compagnie des « responsables ». Avant de se retirer, mademoiselle Adélaïde leur donne ses dernières consignes :

— Vous ne sortirez d'ici que lorsque le buste du comte Riffler sera recollé. Est-ce clair ?

— Oui, Mademoiselle ! répondent ensemble les quatre garçons totalement abattus.

Sous leurs yeux, au centre d'une table, une montagne de débris. La

tâche est si grande qu'ils sont découragés avant même d'avoir commencé…

Près de deux heures se sont écoulées lorsque les garçons observent leur « œuvre » d'un air sceptique. Force est de constater que ce premier essai est raté ! Le résultat obtenu ressemble vaguement à un buste, mais il est mal assemblé, presque difforme. Personne ne reconnaîtrait le comte Riffler. Comment peut-il en être autrement puisqu'il reste encore quantité de morceaux non utilisés ?

— Ça ne va pas, les gars, lâche Tag. Il faut recommencer.

— Procédons scientifiquement cette fois, suggère Gabriel. Il faut d'abord dessiner le buste sur une feuille de papier. Ensuite on collera les morceaux en s'inspirant du modèle...

Soudain, un grincement !

Les quatre garçons braquent leur regard sur la porte du bureau, craignant le pire.

La tête de Toni se glisse dans l'embrasure. Il a l'air tout penaud.

—Je peux entrer ? demande-t-il.

Les autres se consultent du regard. Pas d'objection majeure.

— D'accord, dit Tag. Tu recolles les morceaux du buste et tu redeviens notre gardien de but officiel.

— Quoi ! s'exclame Toni. Mais c'est impossible, j'y arriverais jamais tout seul !

— T'inquiète, le rassure Tag en lui donnant une tape amicale dans le dos. On est une équipe, non ? À cinq, on en viendra bien à bout !

Chapitre 3

« Tag est mort ! »

L'heure H a sonné.

Dans le hall du bâtiment principal, mademoiselle Adélaïde passe ses troupes en revue. Tous les élèves, impeccablement vêtus, se tiennent en rangs. Presque au garde-à-vous.

— Les enfants, nos invités arrivent ! Alors de la tenue, s'il vous plaît ! Est-ce clair ?

Murmure d'approbation.

Au-dessus du grand escalier intérieur, le buste du comte, assez grossièrement rafistolé, a retrouvé sa place sur la corniche.

La directrice fait signe à Chrono d'ouvrir les portes.

Une foule de parents sur leur trente et un se précipitent alors dans le hall. Les retrouvailles avec leurs enfants respectifs créent un brouhaha assourdissant.

Tag et Gabriel se tiennent à l'écart. Pour eux, les embrassades familiales ne sont pas à l'ordre du jour. Tag s'efforce de chasser cette pensée de son esprit. Son regard se promène sur les murs...

Tout à coup, il tressaute. Le buste du vieux comte Riffler a bougé. Il est mal calé sur son socle et penche dangereusement vers l'avant.

Tag dessert son nœud de cravate et donne un coup de coude à Gabriel.

— Il faut faire quelque chose, souffle-t-il. Suis-moi !

Dehors, une limousine rutilante pénètre dans l'enceinte de l'Institut. Un chauffeur en uniforme et casquette immobilise le véhicule au pied des marches du perron.

Il en sort aussitôt et ouvre la portière arrière. Apparaît alors le comte Riffler, accompagné de son épouse et de leur fille Éloïse. Âgé d'une quarantaine d'années, le comte est un lointain descendant du fondateur de l'Institut. Il porte un costume sombre qui contraste avec l'ensemble blanc très élégant de la comtesse. Un tapis rouge a été déroulé en leur honneur…

Éloïse est de mauvais poil, elle enrage d'être là. Elle déteste les cérémonies. Toute la journée de la veille, elle a essayé de faire comprendre à ses parents qu'elle ne voulait pas venir. Mais sa mère est une pipelette plutôt distraite qui ne l'écoute jamais avec beaucoup d'attention. Quant à son père, rien ne saurait le détourner de ses affaires.

Vêtue d'un simple tee-shirt et d'un jean retenu par des bretelles,

Éloïse gravit l'escalier les poings serrés, dans le sillage de ses parents.

— Madame la comtesse Riffler ! Monsieur le comte ! s'exclame mademoiselle Adélaïde du haut des marches. Soyez les bienvenus en ce jour anniversaire de votre généreux ancêtre !

La directrice fait entrer les invités d'honneur dans le hall. Sur la corniche, à quatre pattes de part et d'autre du buste, Tag et Gabriel tentent de lui redonner une position plus stable. En vain.

Éloïse remarque instantanément

leur petit manège. Voilà une animation qui n'était pas prévue au programme, ce qui n'est pas pour lui déplaire. La cérémonie s'annonçait terriblement ennu-yeuse, mais ces deux garçons en fâcheuse posture pourraient la lui faire paraître moins longue !

« Qu'est-ce qu'ils fabriquent là-haut ? » se demande-t-elle avant de comprendre et de mesurer toute la délicatesse de leur entreprise. « Ils ont l'air de s'y prendre très mal. Mais comment leur venir en aide ? » Une idée surgit soudain dans son esprit. Elle s'éclipse discrètement et grimpe à son tour le grand escalier avec une belle agilité.

Là voilà à l'opposé de la corniche, sur une coursive qui contourne le hall. Gabriel l'a repérée. Elle décroche du mur une cordelette où sont suspendus des fanions puis, à l'aide d'un élastique qu'elle a retiré de ses cheveux, en propulse l'extrémité jusqu'à Gabriel. Ce dernier s'en saisit et la glisse derrière le buste. Tag prend le relais et fait pas-

ser la corde devant le buste. Gabriel n'a plus qu'à en fixer l'extrémité au mur derrière lui et la sculpture se retrouve provisoirement arrimée.

Leurs acrobaties terminées, les trois enfants se retrouvent au bas de l'escalier. Tag s'éloigne rapidement sans un mot pour Éloïse. En revanche, Gabriel lui souffle un petit « merci » avant de rejoindre les autres dehors. Car il n'y a plus une minute à perdre. Le moment est venu d'aller affronter les Requins du Port. Pour Tag, rien d'autre ne compte davantage…

À cet instant, deux hommes pénètrent dans le hall. Il s'agit de Roger Maroni, le maire de Port-Marie, escorté par l'agent Pradet.

— Bonjour Monsieur le maire !

s'exclame le comte Riffler. Nous attendions votre discours avec impatience.

Sourire hypocrite du maire.

— Je crois qu'on peut y aller, dit Tag à ses copains dans la cour. Le discours va les occuper un moment.

Ils se dirigent vers la grille d'un pas déterminé quand Tag s'immobilise brusquement :

— On oublie le plus important, les gars !

— Quoi encore ? rouspète Toni.

— Mon ballon !

Demi-tour !

Les cinq garçons se précipitent sous la fenêtre du bureau de la directrice.

Un coup d'œil à droite, un coup d'œil à gauche : personne en vue.

Grimaçant et le dos contre le mur, Tek et No font la courte échelle à Tag.

Avant qu'il ne saute dans le bureau, Toni le supplie :

— Tu es fou, Tag, n'y vas pas ! Si la Zelle Adélaïde te coince, c'est fichu pour le match !

— Peut-être, répond Tag en se

retournant, mais si j'ai pas mon ballon, c'est fichu aussi.

Et il disparaît dans le bureau.

Toni grimpe à son tour sur les épaules des jumeaux, de plus en plus nerveux, afin de suivre la scène de l'extérieur.

— Alors, raconte ! le presse Gabriel.

Toni reste muet.

Soudain, il pousse un cri, saute à terre et détale comme un lapin en direction du premier buisson.

— Planquez-vous ! hurle-t-il. Tag est mort : Chrono l'a surpris !

Chapitre 4

« Bande de voyous ! »

Les quatre garçons guettent à bonne distance la fenêtre de la directrice, tremblant pour le pauvre Tag qui doit prendre un sacré savon.

Plusieurs minutes s'écoulent, puis Tag apparaît soudain à la fenêtre. Il enjambe calmement la balustrade et saute avec son ballon.

Je le crois pas ! lâche Gabriel. Il est libre ! Et en plus il a récupéré le ballonkigagne !

Une fois atterri sur ses deux pieds, Tag scrute l'horizon à la recherche de ses copains. Ne voyant personne, il siffle entre ses doigts. Les TekNo, Gabriel et Toni sortent de leur cachette et, tous ensemble, ils quittent l'Institut au pas de course.

Tout en dévalant avec ses camarades les rues pentues qui mènent à la place Pietraccia, Tek demande à Tag :

— C'est un miracle, ton truc, comment as-tu fait pour échapper à Chrono ?

— J'ai passé un marché avec lui. Premièrement, je dois lui ramener

le ballon tout à l'heure. Deuxièmement...

— Deuxièmement ? dit Gabriel.

— Deuxièmement, on doit ga-
gner le match !

— C'est tout ? s'étonne No.

— T'occupe pas du reste. En cas
de problème, c'est moi qui trinque !

Malgré la belle assurance qu'il

affiche, Tag n'a pas l'esprit tranquille. Il n'a pas trop envie de payer les pots cassés si l'escapade tourne mal.

Au terme d'une longue course, les élèves de Riffler arrivent enfin place Pietraccia, dans un quartier populaire de Port-Marie. Des petites boutiques cernent un espace vaguement rectangulaire, encombré de véhicules, d'étalages et autres obstacles d'ordinaire absents d'un terrain de foot. Et bien sûr, pas de pelouse, ni de cage de buts. Quant aux lignes blanches…

Assis au pied d'un arbre, les Requins du Port attendent impatiemment leurs adversaires du jour.

— Les voilà ! s'écrie soudain

Cartoon en sautillant comme s'il était monté sur des ressorts.

— Il était temps ! grince Requin alors que les deux groupes se rejoignent.

Puis, sans perdre une minute, Requin présente son équipe : Coud'Boule, Cartoon, Pousse' Mouss' et Marteau.

— On croyait que vous aviez la

trouille ! lance Pouss'Mouss', ce qui déclenche le rire de ses coéquipiers.

— Juste un contretemps, précise Tag, un peu vexé. Mais maintenant on est là.

— Alors on peut commencer, dit Requin. Donne ton ballon.

— Une minute, dit Tag. On connaît le code d'honneur, mais on ne sait rien des règles du foot de rue.

— Cinq joueurs par équipe ! N'importe qui peut jouer, même un animal. Pour le reste, on vous expliquera en jouant.

Pendant que les garçons de Rif-fler se regardent avec de grands yeux, Requin pose le ballonki-gagne à terre et, sans préavis, Cartoon tape dedans en direction de Coud'Boule. Celui-ci se met à courir, ballon au pied, mais No parvient à le récupérer grâce à son pressing. Il se faufile entre Pouss'Mouss' et Marteau qui le prennent aussitôt en chasse. No est en pleine course vers les buts adverses quand Marteau, juste derrière lui, lui rabat la capuche sur le

visage. Aveuglé, No trébuche et s'étale par terre.

Mais le jeu ne s'arrête pas pour si peu. Pouss'Mouss' s'est emparé du ballon, il l'expédie très loin en direction de Requin, lequel rôde à l'autre bout du terrain. Toni commet l'erreur de sortir de ses buts pour prendre Requin de vitesse. Le leader de l'équipe du port est le plus rapide. D'un coup de pied acrobatique, il parvient de justesse à lober Toni.

No se relève et retire sa capuche, en colère.

— C'est de la triche ! s'écrie-t-il.

Requin s'approche d'un panneau publicitaire et trace un trait vertical au feutre.

— Désolé, ça fait 1-0 ! dit-il.

Il inscrit un bâton d'un côté, puis il explique :

— Tout est permis dans le foot de rue ! Sauf les coups de poing, les coups de pied... et les doigts dans l'œil, bien sûr.

Il envoie le ballon à Tag.

— À vous d'engager !

La partie s'annonce difficile pour les joueurs de Riffler. Leur leader avale sa salive en se demandant s'il pourra tenir son engagement vis-à-vis de Chrono. No remet le ballon en jeu en adressant une passe à Gabriel. Ce dernier se trouve vite face à Requin, qui intercepte et envoie à Marteau.

Une dame un peu forte, coiffée d'un foulard bariolé traverse alors la place en tirant un caddie à provisions. Marteau ne se démonte pas. Il fait rebondir la balle dans son dos avant de l'utiliser comme paravent entre Tek et lui. La pauvre femme, affolée, tourne sur elle-même en appelant au secours. Tag semble déconcerté par cette façon de jouer.

— Au foot de rue, on peut jouer avec toute la rue, lui explique Requin. On s'arrête seulement pour les ambulances, les pompiers... et les corbillards, bien sûr.

Un coiffeur, témoin de la scène, sort de sa boutique en brandissant sa paire de ciseaux :

— Vous n'avez pas bientôt fini de martyriser cette dame ? hurle-t-il. Bande de voyous !

Tek se retourne brusquement et Marteau, libre de tout marquage, en profite pour ajuster une passe à Coud'Boule. Celui-ci amortit de la poitrine et tente sa chance du pied droit. Toni est surpris par la force du tir. Le ballon lui passe entre les jambes sans qu'il ait le temps d'esquisser le moindre geste défensif.

Requin inscrit fièrement le deuxième but au tableau d'affichage. Cartoon, lui, sautille de joie devant ses buts.

— Zboïng ! Zboïng ! 2-0 ! C'est ça le foot de rue ! s'exclame-t-il au comble de l'excitation.

Tag va aider Toni à se relever. Les TekNo et Gabriel se joignent à eux. Les Cinq de Riffler ont la mine basse.

— Courage, les gars ! dit Tag. C'est normal qu'on perde : on est en train d'apprendre, et ils en profitent. Mais croyez-moi : ça va pas durer !

Chapitre 5

À feu et à sang !

Grâce à un tir acrobatique de Gabriel qui surprend Cartoon, l'équipe de Riffler réduit l'écart. Mais les Requins réagissent en utilisant une nouvelle ruse. Le ballon ayant heurté violemment une corde à linge tendue entre deux fenêtres, très haut au-dessus de

leurs têtes, des vêtements s'en détachent.

— On n'est pas des sauvages, crie Requin, on rattrape le linge avant qu'il ne tombe par terre !

Chacun se précipite tête en l'air, bras tendus, y compris Toni. Mais Requin profite de la diversion pour envoyer le ballon dans les buts vides de Toni, ce qui fait beaucoup rire ses copains…

— Autre règle, précise Requin : le foot de rue continue quoiqu'il arrive ! 3-1 ! À vous de jouer !

C'en est trop ! Tag déteste qu'on se moque de lui. Ce sentiment décuple sa détermination : « Il faut trouver une parade, se dit-il. Et vite ! Sinon, c'est l'humiliation garantie. »

Il remet en jeu par une passe à Gabriel qui efface successivement Marteau et Pouss'Mouss'. Ensuite, Gabriel effectue une longue transversale à destination de No. Mais le tir manque un peu de précision. Le ballon passe au-dessus du crâne de No, malgré la détente de ce dernier, et il atterrit sur le toit d'un camion à ordures garé là. Après un rebond, il retombe sur un levier qui actionne aussitôt la bascule de la benne !

Impuissants, les dix joueurs observent l'engin déverser son chargement d'ordures juste devant le salon de coiffure.

Fou de rage, le coiffeur sort à nouveau de sa boutique.

— Maintenant ça suffit ! J'appelle la police !

— Attendez, M'sieur ! dit Requin en se précipitant. On va nettoyer.

Sans tenir compte de cette remarque, le coiffeur compose un numéro de téléphone sur son portable.

— Pas la peine de discuter ! lâche Requin à l'attention de ses copains. On reprend !

Mais Toni ne l'entend pas ainsi :

— Et la police ! Vous en faites quoi ?

— Bof ! répond Requin, on a le temps...

Tag, qui ne peut se permettre d'interrompre le match sur un

score défavorable, opine et fait signe à Toni de regagner sa place. Mais le goal de Riffler n'en démord pas :

— Je ne tiens pas à me faire arrêter, moi ! Je veux pas d'ennuis !

— Écoute Toni, lance Tag, on est menés trois buts à un. Alors à toi de choisir : tu joues ou tu pars. Mais si tu pars, c'est pour toujours, cette fois !

Toni cherche un soutien dans le regard de ses coéquipiers, mais chacun semble soutenir la position de Tag.

Toni recule lentement. Sa décision est prise.

— Excusez-moi, les gars, mais… euh… je… excusez-moi quoi…

Il se retourne brusquement et

disparaît en courant. « Cela devait arriver depuis un moment… » pense Tag.

Requin s'approche de Tag.

— Si vous n'avez plus de gardien, vaudrait mieux arrêter le match ! dit-il.

— Pas question ! répond Tag. On continue.

— Et on fait comment pour les buts ? demande Gabriel.

— On les laisse pas s'en approcher, c'est tout !

Pour couper court à la discussion, Tag remet la balle en jeu. Gabriel réceptionne. S'ensuivent quelques dribles puis une passe à No qui renvoie à son frère. Les TekNo se livrent à une série de une deux, jusqu'à l'interception de Coud'Boule. Immédiatement, celui-ci envoie un long ballon aérien en direction des buts adverses. La cage étant vide, tous voient déjà un nouveau point pour les Requins. Mais au dernier moment, Éloïse Riffler jaillit de derrière un mur et plonge devant les buts désertés par Toni. De justesse, elle bloque le ballon du pied sous le regard ébahi de tous les joueurs.

— Magistral ! s'écrie Gabriel, admiratif.

Comment ça, magistral ? demande Tag, contrarié. Mais qu'est-ce qu'elle fait là, celle-là ? Je parie qu'elle nous espionnait !

Éloïse s'attendait à un accueil plus chaleureux. Elle a évité à l'équipe de Riffler d'encaisser un quatrième but et voilà comment elle est remerciée !

— Je vous ai suivis parce que je n'avais aucune envie d'écouter le discours du maire, répond-elle. Mais peu importe pourquoi et comment je suis là. Ce qui compte, c'est qu'on est en train de perdre ! Alors on discutera plus tard, d'accord ?

Tag s'apprête à protester, mais Tek lui coupe l'herbe sous le pied :

— Hé ! Moi je suis d'accord !

— En plus, elle est mignonne ! ajoute Gabriel.

No se contente de sourire.

Tag n'aime pas beaucoup qu'on lui impose les choses, pourtant il doit se ranger à l'avis de la majorité. Il hausse les épaules et va se replacer, tandis qu'Éloïse effectue son dégagement...

Une estrade a été installée dans la cour de l'Institut Riffler. Debout, derrière un pupitre, le maire fait son discours en plein soleil, devant une assemblée composée d'enfants et d'adultes assis sur des chaises. Sont présents le comte et la comtesse Riffler, la directrice, Chrono, élèves et parents d'élèves...

— ... Et puisque vous m'avez élu pour faire de Port-Marie une ville modèle et moderne, déclare monsieur Maroni, je m'engage à assurer l'ordre et la paix dans notre belle cité, ainsi qu'à rénover certains quartiers et édifices d'un autre âge ! Comme l'aurait fait l'illustre comte Riffler, il est de mon devoir de veiller sans relâche à la sécurité et à la discipline, qui sont...

— Monsieur le maire ! coupe l'agent Pradet qui vient de recevoir

un appel sur son talkie-walkie. Une attaque ! Une bande de hooligans met la ville à feu et à sang !

— Eh bien ! Qu'attendez-vous pour intervenir ? rétorque le maire agacé par cette interruption. Dépêchez-vous donc !

Chapitre 6

De dangereux gangsters !

Les joueurs de Riffler ont enfin repris des couleurs. Sur un tir massue de Marteau, Éloïse a effectué un nouvel arrêt spectaculaire. Action suivie quelques minutes plus tard par un tir en extension de No, qui a transpercé la défense de Cartoon. Et c'est Tag lui-même qui vient d'égaliser au score en marquant un but de la tête, grâce à une passe décisive de Tek. Trois partout !

— Bravo ! concède Requin, fair-play. Nous voilà à égalité !

Soudain, une sirène de police retentit dans la vieille ville. La voiture de l'agent Pradet déboule à toute allure sur la petite place.

— Sauve qui peut ! hurle Requin.

Pradet jaillit de son véhicule matraque en main mais, en un éclair, les dix joueurs de foot se dispersent dans les ruelles adjacentes.

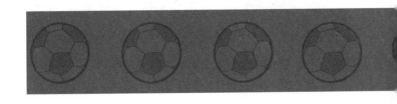

À bout de souffle, Tag et sa bande pénètrent dans l'Institut Riffler. Il était temps car la fête touche à sa fin.

Chrono les accueille sur les marches du perron.

— Alors ? demande-t-il.

— Match nul, M'sieur !
répond Tag en lui remettant le
ballonkigagne.

Chrono hoche la tête en souriant:

— Hum ! Pas mal. Mais il faudra
faire mieux la prochaine fois !

Brusquement, Chrono se retourne : mademoiselle Adélaïde
approche, en compagnie du comte

et de la comtesse. Tous trois raccompagnent le maire à la grille. D'un geste rapide, Chrono dissimule le ballon de Tag derrière son dos et fait signe aux enfants de s'esquiver. Ces derniers s'exécutent sans demander leur reste, mais une autre voix les fige sur place. Celle-ci vient du portail de l'Institut, derrière eux.

— Arrêtez-les ! Ce sont eux !

L'agent Pradet arrive en courant vers Tag et ses amis.

— Voilà les coupables, Monsieur le maire !

— Que se passe-t-il encore, agent Pradet ? intervient Maroni.

— Ces cinq individus sont de dangereux gangsters, Monsieur le maire ! répond le policier en

maintenant sur les joueurs de foot de rue un doigt accusateur.

— Quoi ? s'exclame la comtesse. Ma fille ? Un dangereux gangster ?

— N'importe quoi ! dit Éloïse. Mes amis ne m'ont pas quittée, monsieur l'agent. Ils ne voulaient surtout pas manquer le discours du maire. N'est-ce pas, maman ?

— Bien sûr, ma chérie, répond la comtesse. C'était un très beau discours, d'ailleurs. Encore bravo, monsieur Maroni !

Mais l'agent Pradet ne se laisse pas intimider et poursuit ses accusations. Les joueurs de foot adoptent un profil bas.

— Taisez-vous, imbécile ! intervient le maire en empoignant Pradet par le bras.

Puis il se retourne vers ses hôtes, tout sourire :

— Merci encore, chère comtesse, cher comte, pour cette belle cérémonie…

En s'éloignant, son visage redevient sombre. Entre ses dents, il murmure à Pradet :

— Suivez-moi, espèce d'idiot !

Les deux hommes s'en vont d'un pas rapide.

— Mais enfin, Monsieur le maire, insiste Pradet à voix basse, je vous assure que ces vauriens…

— … vous ont roulés, je le sais ! Mais je jure bien que c'est la dernière fois !

À l'écart des adultes, les cinq enfants se félicitent de s'en être tirés à si bon compte. Éloïse n'est pas peu fière de sa présence d'esprit. Grâce à sa réaction, elle a réussi à écarter les accusations qui pesaient sur les garçons. Si ce petit coup de pouce pouvait la faire admettre au sein de leur équipe de foot de rue…

No s'empresse de la remercier :

— Tu as drôlement bien joué ! dit-il. Sur le terrain comme ici ! Moi, c'est No !

Et il lui tend la main.

— On peut dire que tu as appris le code d'honneur sur le tas ! ajoute Gabriel. « Secret et solidarité » !

Il se présente à son tour avec un grand sourire, imité aussitôt par Tek:

— Je m'appelle Tek. On dirait que tu fais partie de l'équipe maintenant…

Tag se tient légèrement à l'écart. Quelque chose l'empêche de se réjouir de la tournure des événements.

— Ne rêvez pas les gars ! ronchonne-t-il. Elle joue bien, c'est vrai, mais n'oubliez pas que c'est la petite comtesse Riffler ! Et ça m'étonnerait qu'elle revienne se salir les mains avec nous !

Est-ce la véritable raison de son hésitation ? Serait-il vexé parce qu'une fille a sauvé son équipe ? N'est-il pas simplement jaloux de Gabriel qui paraît si à l'aise avec elle ? Éloïse regarde Tag droit dans les yeux :

— Toi, c'est Tag, si j'ai bien compris. Permets-moi de te dire que tu te trompes ! Je veux bien me « salir les mains » si… si tu m'acceptes dans l'équipe !

Tag ne peut plus se défiler. Chacun attend son verdict avec impa-

tience. Cette fille a du tempérament et elle garde les buts mieux
que personne, bien mieux que
Toni, il doit en convenir. Elle
semble loyale et volontaire. Que
demander de plus à une coéqui-
pière ? Un sourire finit par se dessiner sur son visage : il a cédé.
Éloïse lui tend la main :

— Moi, c'est Éloïse !

Gabriel et les jumeaux les prennent dans leurs bras et tous les cinq sautent de joie.

Un peu plus loin dans la cour, Chrono les observe avec un léger sourire.

— Ça peut faire une jolie équipe, murmure-t-il.

Table

CHAQUE PARTIE PORTE SON LOT
DE FRISSONS... AMITIÉ, RESPECT
FOOT DE RUE.

Entre 4 vestes,
2 haies de buissons

Déferle un flot de pression

Chaque partie porte
son lot de frissons

Partage, fair-play, foot de rue

Tous parés pour la compétition

Symbole d'une génération

C'qui nous lie, plaisir et passion

Amitié, respect, foot de rue

"AKH"

AKHENATON

La série *Foot 2 Rue* relaye les valeurs prônées par les Nations unies dans le cadre de l'Année internationale du sport et de l'éducation physique.

Le sport pour la paix et le développement dans le monde

Le sport développe la solidarité et constitue la meilleure école de vie qui soit. Le sport enseigne des valeurs essentielles comme gérer la victoire et surmonter la défaite. Il nous apprend à nous insérer dans un groupe, à respecter nos adversaires et à suivre les règles. En pratiquant un sport, nous développons la persévérance et la discipline ainsi que le courage et la responsabilité dans la prise de risque.

Les Nations unies défendent les vertus du sport et encouragent les champions à servir de modèles pour les générations futures. À travers l'Année internationale du sport et de l'éducation physique (AISEP 2005), les peuples et les gouvernements du monde entier sont encouragés à pleinement utiliser le pouvoir du sport pour construire un monde meilleur.

Chacun est invité à participer à cette Année internationale du sport. Initiez-vous à un sport ou apprenez une nouvelle discipline à vos amis ; investissez-vous dans les clubs de votre ville ou de votre école ; faites-vous des amis en pratiquant un sport ensemble et réalisez combien le sport est indispensable à une vie plus saine et plus équilibrée.

Pour plus d'informations sur l'année du sport, visitez le site www.un.org/sport2005

RETROUVE TE
AUTRES SÉRIE

LE JEUNE SHOBU SERA-T-IL
CAPABLE DE DEVENIR
UN VÉRITABLE MAÎTRE KAIJUDO

LA FABULEUSE QUÊTE DE CELUI DONT
LE REGARD PEUT FAIRE FONDRE LE MÉTAL !

ÉROS PRÉFÉRÉS DANS LES
E LA BIBLIOTHÈQUE VERTE

LES AVENTURES DU COW-BOY
SOLITAIRE LE PLUS CÉLÈBRE
DE L'OUEST...

KID ET SES POTES :
PAS MOINS DE DOUZE IDÉES
PAR MINUTE... GLUANT !

LA LUTTE SECRÈTE DE CINQ COLLÉGIENS
CONTRE LE VIRUS INFORMATIQUE XANA...